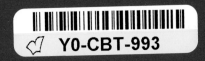

うしろに いるの だあれ

ふくだ としお さく

新風舎

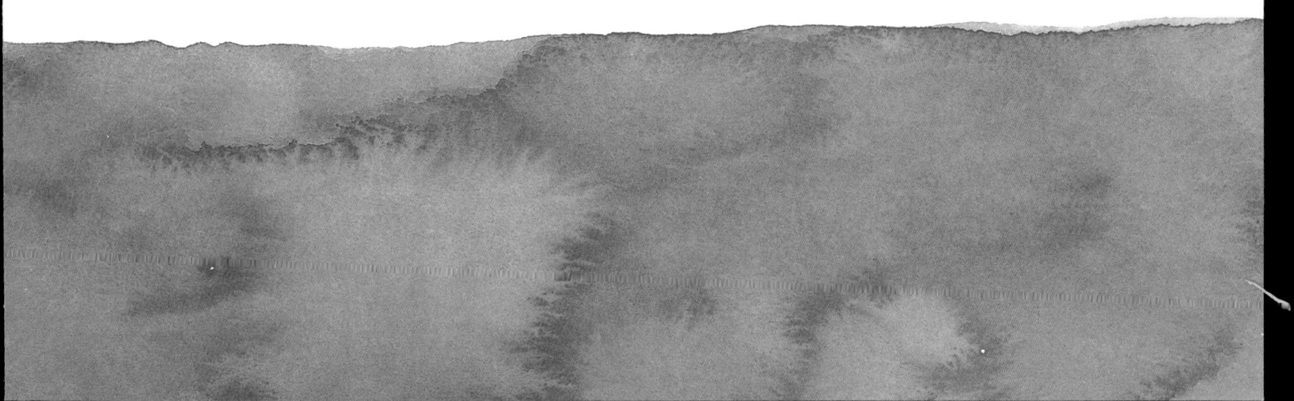

ぼくの　うしろに　いるの　だあれ

あっ　かめくん

かめくんの　うしろに　いるの　だあれ

あっ　ねこさん
ねこさんの　うしろに　いるの　だあれ

あっ　ぞうさん

ぞうさんの　まえに　いるの　だあれ

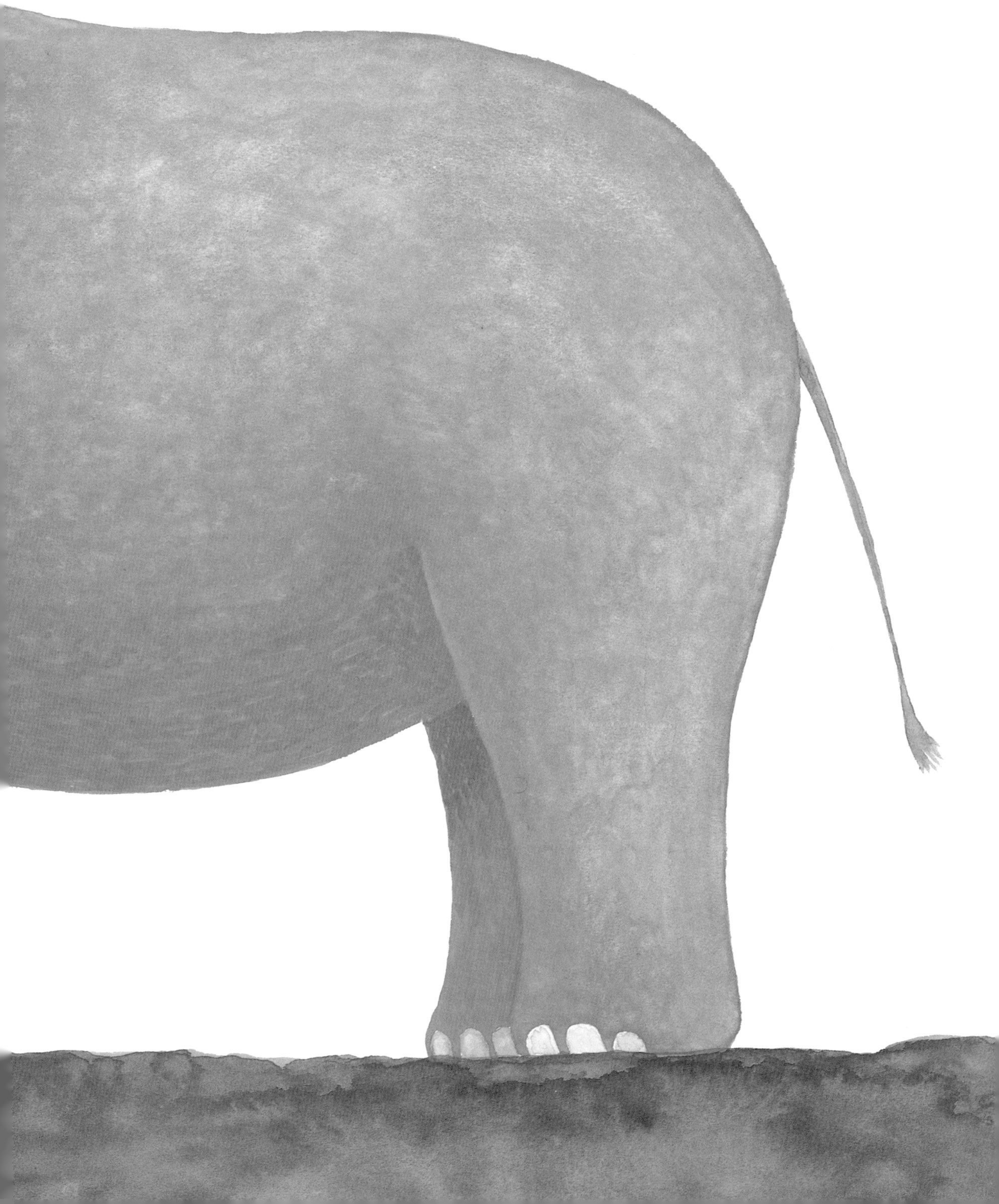

あっ　とりさん

とりさんの　うえに　いるの　だあれ

あっ　りすくん

りすくんの　まえに　いるの　だあれ

あっ　へびくん
へびくんの　まえに　いるの　だあれ

あっ　みみずくさん

みみずくさんの　したに　いるの　だあれ

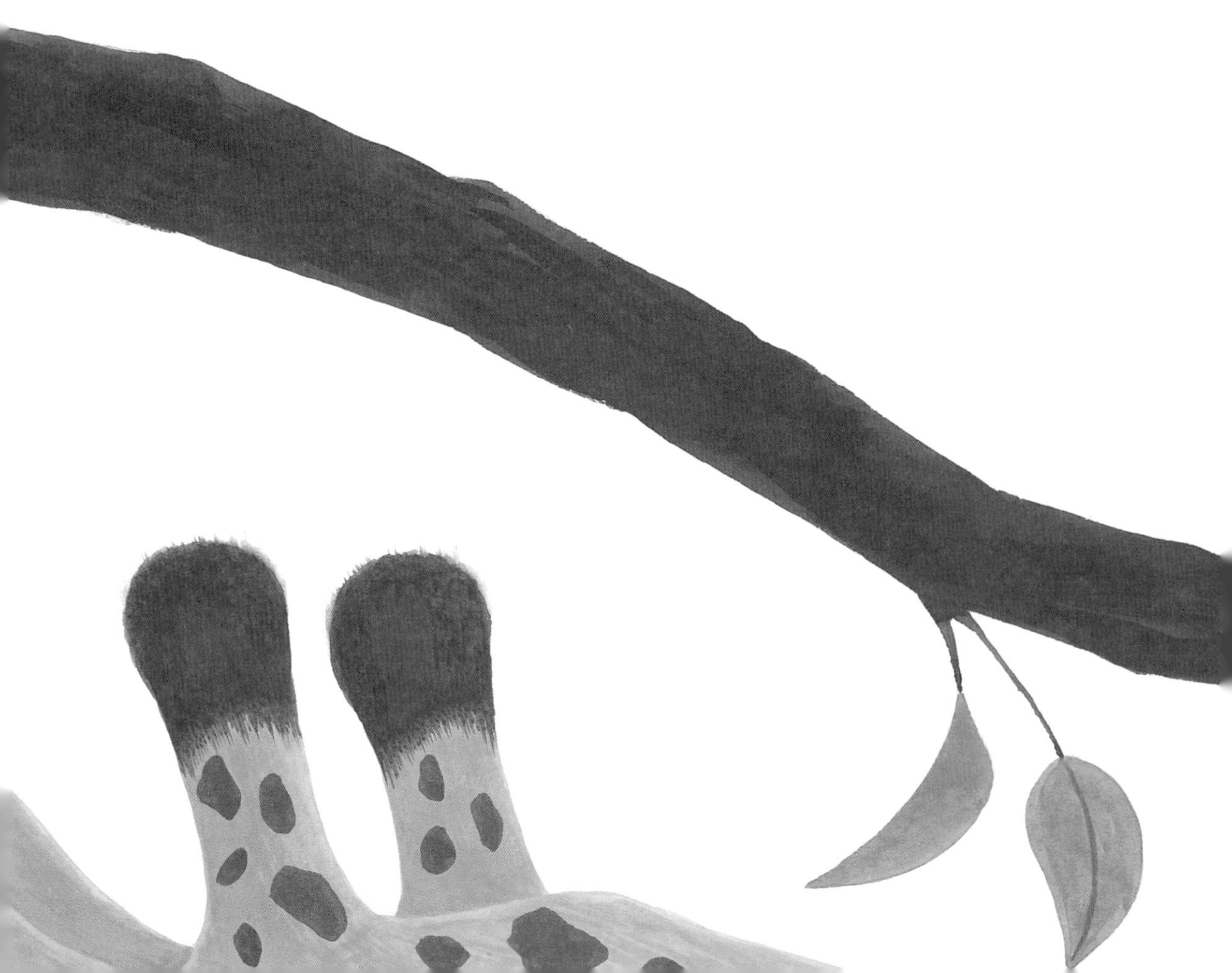

あっ　きりんさん

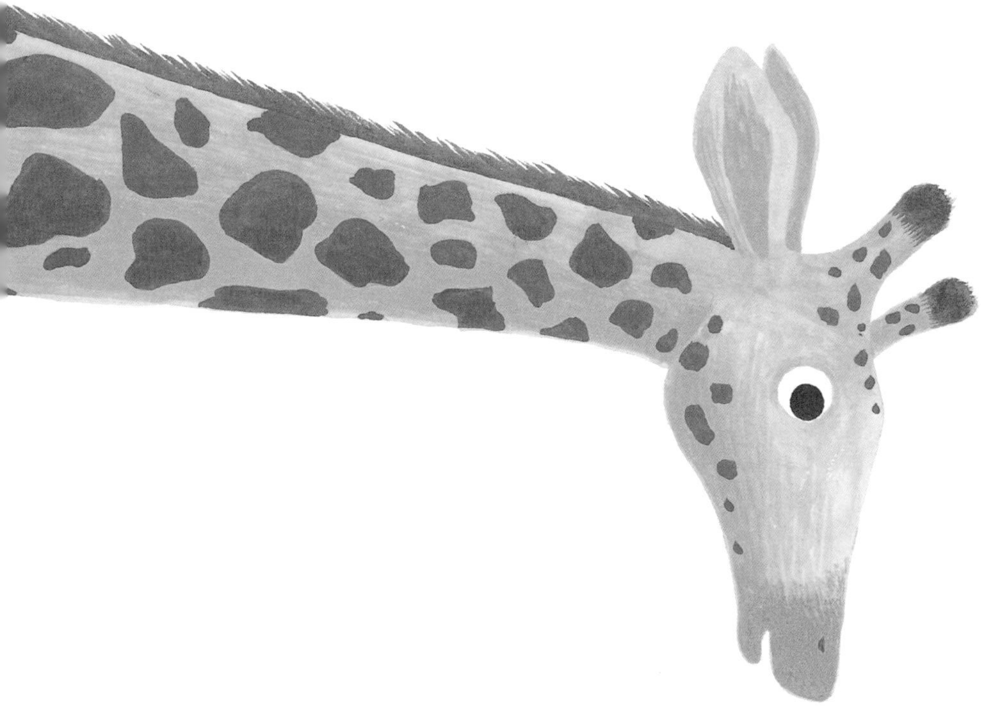

きりんさんの　したに　いるの　だあれ

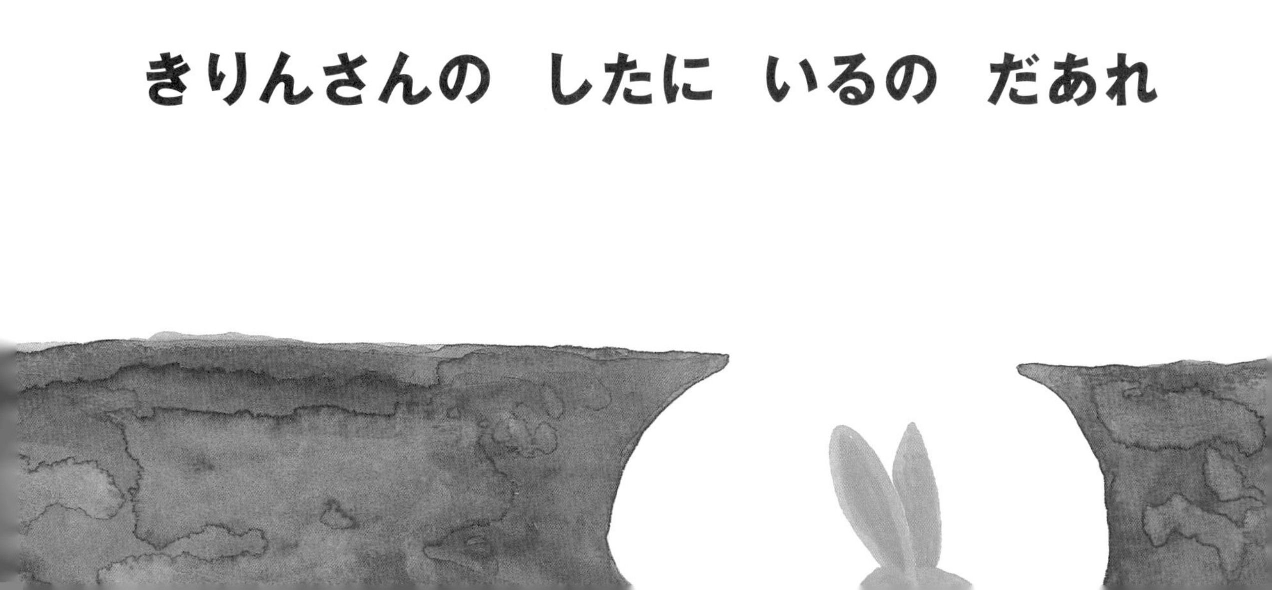

あっ　うさぎさん
うさぎさんの　まえに
いるの　だあれ

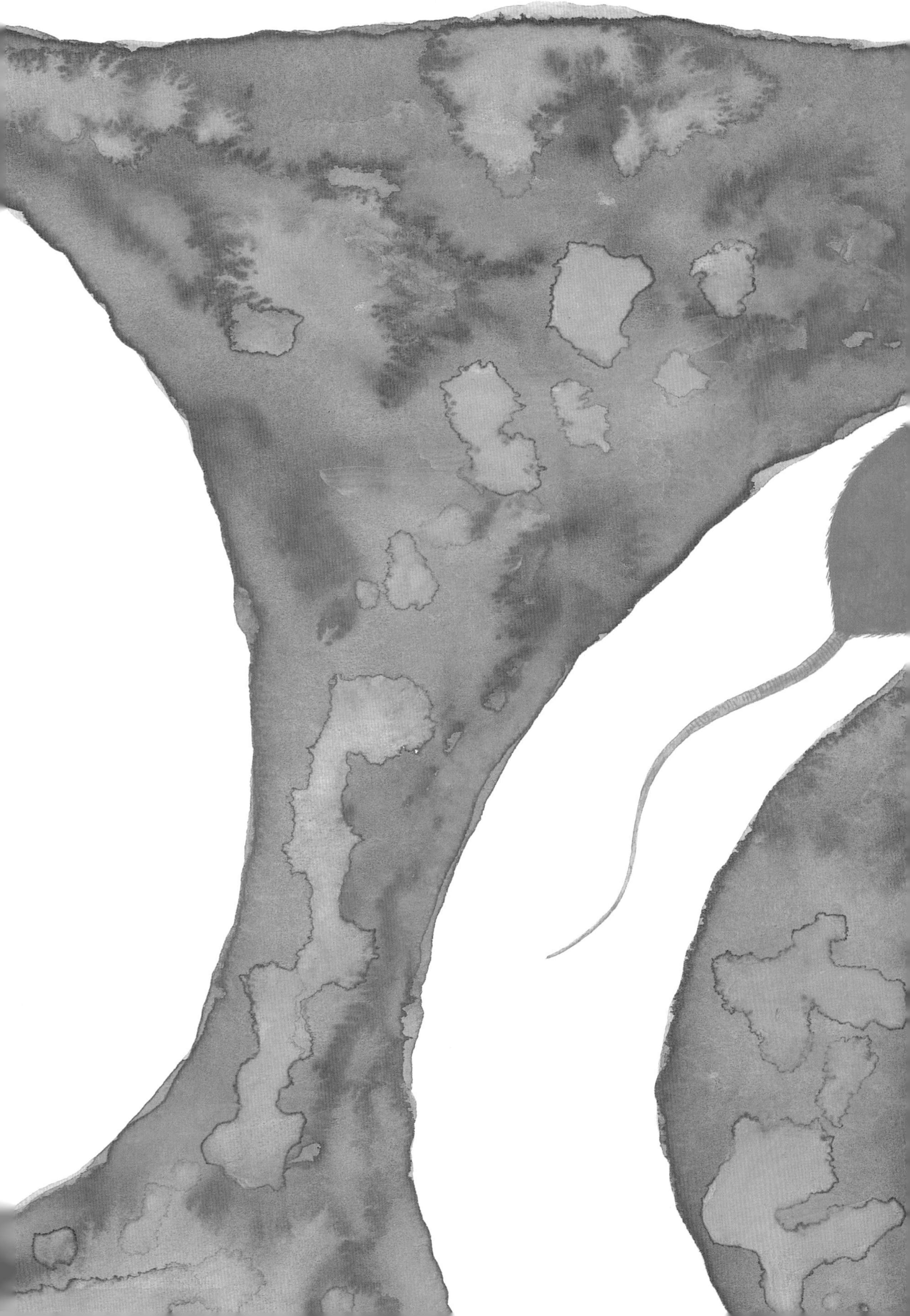

あっ　ねずみくん

ねずみくんの　うえに　いるの　だあれ

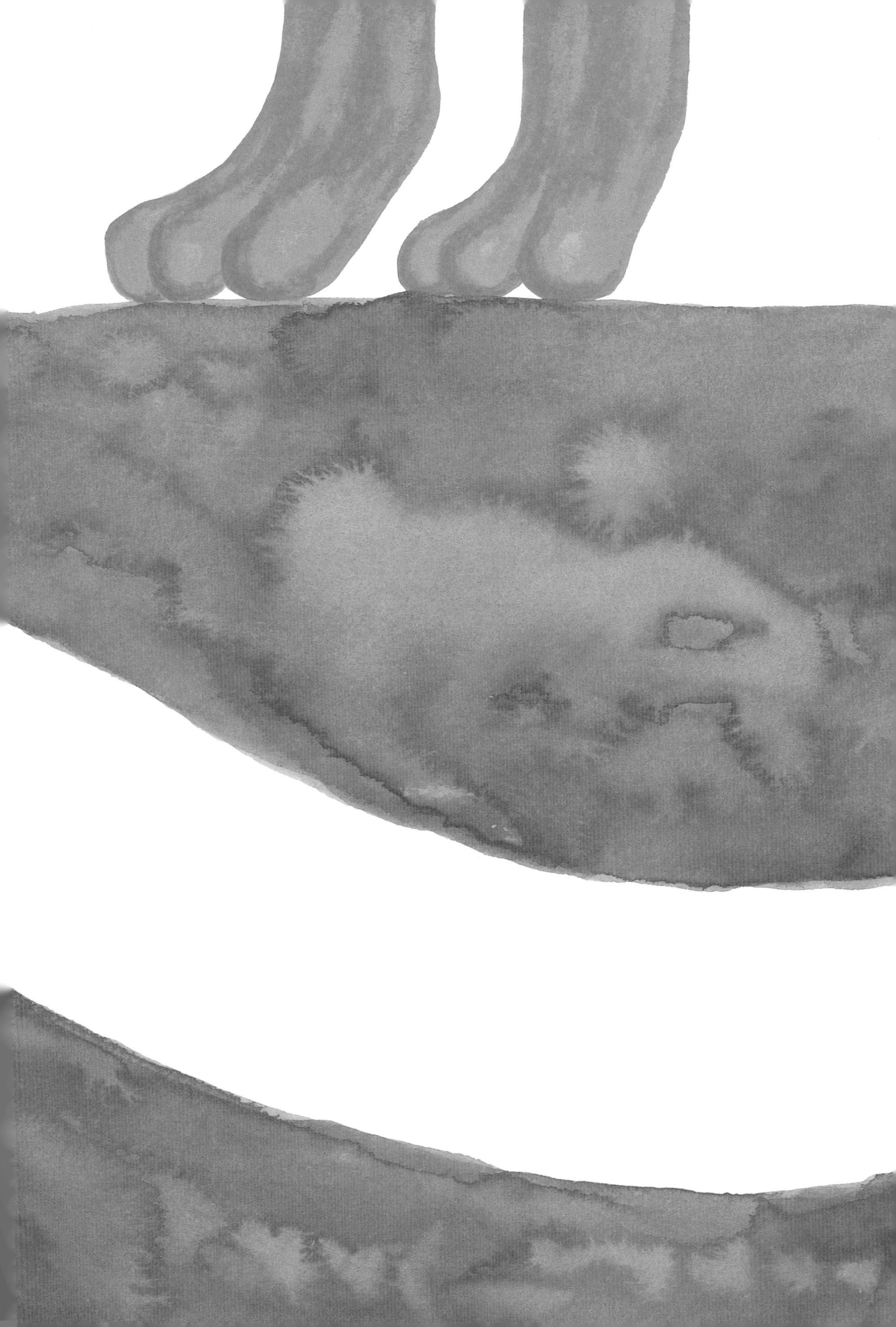

あっ　ぼくだ！

みんな　ちかくに　いたんだね

ふくだとしお

画家。
1971年大阪に生まれる。
1994年大阪芸術大学卒業。
1998年制作活動のため、渡仏。
帰国後、絵本の制作に携わる。
現在、絵画、絵本、立体作品など
幅広く作品を造り出している。
絵本の作品に、『うしろにいるのだあれ　みずべのなかま』
『うしろにいるのだあれ　のはらのともだち』
『うしろにいるのだあれ　うみのなかまたち』（新風舎）がある。
HP (http://www015.upp.so-net.ne.jp/accototo/)

作者からのメッセージ
「自分のまわりをもう一度よく見てください。
きっと誰かいるから」

うしろにいるのだあれ

2003年3月15日　初版第1刷発行
2005年6月15日　初版第52刷発行

著　者　ふくだとしお
発行人　松崎義行
発行所　新風舎
〒107-0062 東京都港区南青山2-22-17
電話 03-5775-5040（代表）
03-3746-4648（営業）
URL http://www.pub.co.jp
振替 00100-4-577938
編　集　尹秀姫
デザイン　大竹美由紀
印刷・製本　図書印刷株式会社

ISBN4-7974-2289-0 C8793
落丁・乱丁本は、小社営業部宛にお送りください。
お取り替えいたします。